PIERRE KOHLER

LA TERRE,
L'UNIVERS
ET LA CONQUÊTE
DE L'ESPACE

ÉCHOS ENCYCLOPÉDIES

*Collection dirigée
par Yves Verbeek*

HACHETTE JEUNESSE

Le 7 février 1984, pour la première fois dans l'histoire de la conquête de l'espace, un astronaute a pu évoluer librement dans le vide sans être relié à son vaisseau spatial par un « cordon » (page de droite). Il l'a fait grâce à une sorte de « fauteuil » équipé de fusées, familièrement surnommé le « scooter de l'espace ». Cette expérience réussie a eu lieu lors de la dixième mission de la navette spatiale américaine.

Vu de l'espace

La Terre est une oasis, perdue dans le désert noir de l'espace, a dit Franck Borman, l'astronaute commandant la mission spatiale Apollo 8. Alors qu'avec ses compagnons, Jim Lovell et Bill Anders, à quelques heures du réveillon de Noël 1968, il s'approchait de cette Lune qu'aucun humain n'avait encore survolée, l'astronaute américain comprit à quel point notre planète est belle. Nous ne pouvons que partager son point de vue en admirant ces splendides photographies que les équipages des différentes missions Apollo ont eu le privilège de prendre, à plus de 100 000 kilomètres de distance.

C'est probablement ainsi qu'a évolué notre planète en 4,6 milliards
d'années; à partir d'un nuage de poussières. Celles-ci se sont rapprochées
et agglomérées pour former un globe solide.

Cette planète
qui est la nôtre

Notre Terre, qui se place en troisième position par sa distance au Soleil, n'est que la cinquième par la taille. Si Jupiter, la plus grosse des planètes, était creuse, elle pourrait contenir 1 400 Terres ! C'est dire à quel point nous vivons sur un petit astre, comparé à bien d'autres dans le système solaire. Quant à la troisième position, elle nous situe à 150 millions de kilomètres du Soleil. Un petit calcul simple révèle que si le Soleil (1 400 000 km de diamètre) était un ballon de football, la Terre (12 742 km) serait une petite perle située à 70 mètres de lui...

A l'échelle humaine, pourtant, la Terre est une énorme planète : il faut parcourir 40 000 kilomètres pour en faire le tour. En supposant qu'il ait suffisamment de carburant pour ne pas faire d'escale, un avion de ligne mettrait deux jours pour parcourir ce trajet. Les satellites artificiels en orbite basse, eux, mettent seulement une heure et demie pour boucler un tour de Terre.

Voyage au centre de la Terre

Et si, comme les héros de Jules Verne, nous pouvions nous enfoncer dans l'intérieur de notre planète, jusqu'en son centre, nous découvririons qu'elle est constituée de plusieurs « coquilles » superposées.

En surface, nous trouvons une pellicule rocheuse qui forme la « croûte » terrestre (on dit aussi l'écorce).

Son épaisseur est très variable : 5 kilomètres seulement sous les océans, 40 kilomètres à l'emplacement des chaînes de montagnes comme l'Himalaya, les Alpes ou la cordillère des Andes.

Cette écorce est faite essentiellement de roches granitiques.

Sous l'écorce s'étend un

« manteau » fait de basalte, cette roche gris sombre dont on se sert pour construire des maisons dans les régions volcaniques. C'est en effet l'un des principaux matériaux rejetés par les volcans. L'épaisseur totale du manteau est d'environ 2 900 kilomètres.

Il enveloppe un noyau externe fait de fer et de nickel. Celui-ci n'est pas très volumineux, mais la matière y est beaucoup plus tassée, plus « dense », si bien qu'il accapare à lui seul un tiers du poids de la Terre.

Il faut savoir aussi que la température augmente assez rapidement au fur et à mesure que l'on s'enfonce dans les entrailles de notre planète. On atteint déjà la température de l'eau bouillante au fond d'un puits de 5 kilomètres de profondeur. Le voyage imaginé par Jules Verne est donc irréalisable dans la pratique.

Parce qu'il existe une atmosphère, la surface de la Terre est soumise à diverses formes d'érosion (vents, pluies) qui sculptent le relief. Ici le grand canyon de l'Arizona, aux États-Unis.

La Terre est un peu comme un fruit, avec un noyau central, un manteau qui correspond à la pulpe, et une croûte qui est en quelque sorte la peau. L'écorce terrestre est très mince. Les chiffres indiqués sur cette coupe correspondent à des kilomètres.

La planète « Océan »

Les mers et les océans recouvrent 71 pour 100, c'est-à-dire près des trois quarts de la surface du globe terrestre. Notre planète est la seule, dans le système solaire, sur laquelle une aussi grande quantité d'eau peut exister à l'état libre. Si la surface de la Terre était parfaitement lisse, les océans la recouvriraient d'une couche uniforme de 2 900 mètres de profondeur...

7

Comment Ératosthène mesura la Terre

Le savant grec Eratosthène, un peu plus de 200 ans avant notre ère, avait remarqué qu'à Syène (aujourd'hui Assouan), le Soleil de midi se trouvait exactement à la verticale le jour de l'été. Mais à Alexandrie, où il vivait, les obélisques portaient au même moment une ombre sur le sol ; de la longueur de cette ombre il déduisit que le Soleil faisait alors un écart de 7,2° avec la verticale. Cet angle représente la différence de latitude entre Syène et Alexandrie. Comme 7,2° correspondent exactement à la 50ᵉ partie d'une circonférence (7,2 × 50 = 360) il suffisait de multiplier la distance Syène-Alexandrie (5 000 « stades ») par 50 pour obtenir la circonférence de la Terre. Sachant que le stade, mesure de longueur utilisée dans l'Antiquité, vaut 177,4 mètres, on trouve pour la circonférence : 5 000 × 50 × 177,4 = 44 350 kilomètres. Or la circonférence polaire de notre planète est de 40 010 kilomètres. Il y a 2 200 ans les dimensions de la Terre étaient donc déjà connues à 10 pour 100 près.

L'Éthiopie, la Somalie et l'Arabie saoudite, partiellement recouvertes de nuages, sont visibles sur cette photo prise en 1966 par les astronautes de la cabine spatiale Gemini 11, à 1 300 kilomètres d'altitude. Djibouti se situe juste sur l'étranglement qui sépare la mer Rouge du golfe d'Aden, débouchant sur l'océan Indien. La mer Rouge s'ouvre lentement depuis 10 millions d'années par l'écartement de l'Afrique et de l'Asie, suivant le schéma en haut, à droite.

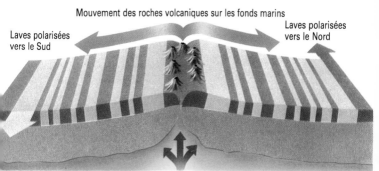

Mouvement des roches volcaniques sur les fonds marins

Laves polarisées vers le Sud

Laves polarisées vers le Nord

De nouvelles laves forment les volcans sous-marins

Mais la surface terrestre n'est pas lisse, loin de là. Que ce soit au-dessus du niveau de la mer (sur les continents) ou dans les profondeurs des océans, l'on trouve des montagnes, des plaines, des plateaux et des vallées.

Ce relief existe parce que la croûte terrestre n'est pas d'un seul tenant. Comme la carapace d'une tortue elle est formée d'une juxtaposition de plaques. Mais la comparaison s'arrête là. Car il s'agit de plaques rocheuses qui se déplacent lentement les unes par rapport aux autres. Ce déplacement est extrêmement lent : de l'ordre de quelques centimètres par an. Mais il est suffisamment important pour que le visage de la Terre change profondément au cours des ères géologiques.

Sans cesse en mouvement

Ainsi, il y a 125 millions d'années, l'Amérique du Sud et l'Afrique étaient-elles accolées. L'Amérique du Nord et l'Europe se sont séparées plus récemment, il y a 80 millions d'années. L'océan Atlantique n'existait donc pas encore lorsque les dinosaures ont commencé à peupler la planète, il y a 225 millions d'années ; mais il avait commencé à se former lorsqu'ils disparu-

rent, voici environ 65 millions d'années.

De même, l'aspect de la Terre sera complètement différent de ce qu'il est maintenant, si l'on se projette dans l'avenir de quelques dizaines de millions d'années.

Ainsi, depuis 20 millions

d'années, un nouvel océan est en train de s'ouvrir au niveau de la mer Rouge, se prolongeant au travers des grands lacs de l'Est africain.

La Méditerranée, en revanche, est en train de se fermer dans sa partie occidentale entre la France et l'Algérie. La

En Birmanie, *ce rocher reste mystérieusement en équilibre depuis des siècles. A cause de cette propriété étonnante il est vénéré par les habitants qui l'ont recouvert d'or pour en faire un objet de culte.*

Californie, elle, se détache de l'Amérique du Nord : dans 50 millions d'années elle formera une île dans le Pacifique.

Cette dérive des continents, soupçonnée en 1912 par l'Allemand Wegener, n'est démontrée que depuis une quinzaine d'années seulement.

En venant buter contre la plaque de l'Amérique du Sud, et en plongeant sous elle, la plaque du Pacifique provoque un plissement montagneux : c'est la cordillère des Andes.

Fond de l'océan Pacifique

Continent Sud-américain

Chaîne des Andes

La plaque océanique glisse sous le continent

Roches plissées

Cendres

Lave

Magma

Le magma qui sort par la cheminée et sur les flancs des volcans est du basalte, c'est-à-dire de la roche fondue.

Séismes et volcans, conséquences de la dérive des continents

Si les continents qui se heurtent donnent naissance à des montagnes, ceux qui glissent l'un sous l'autre provoquent des tremblements de terre (séismes), et ceux qui s'écartent entraînent l'apparition de volcans. Ce n'est d'ailleurs pas un hasard si les lieux où se produisent les séismes et les éruptions volcaniques se placent en bordure des grandes plaques continentales. Pratiquement 80 pour 100 d'entre eux se produisent ainsi sur le pourtour du Pacifique, formant la célèbre « ceinture de feu ».

Les deux tremblements de terre les plus meurtriers de l'histoire sont survenus en Chine, en 1580 et en 1976. Ensemble, ils ont fait 1 500 000 morts. Les autres régions du monde les plus menacées sont le Japon, l'Indonésie, les Philippines, l'Iran, la Turquie, la Yougoslavie, l'Italie, l'Afrique du Nord, l'Amérique centrale et le Chili.

A la surface de la Terre existent environ 500 volcans actifs, qui ont donné lieu à plus de 2 500 éruptions depuis l'Antiquité. Certains volcans sont de véritables montagnes, comme l'Aconcagua (7 000 m) dans les Andes, ou

Éruption *du volcan de l'île Haimaey (Islande) en 1973.*

l'Erebus (3 800 m) dans l'Antarctique. Les deux plus grandes éruptions, qui furent aussi les plus meurtrières, ont été celles du Santorin dans l'île de Théra en mer Egée vers 1460 avant Jésus-Christ, et celle du Krakatoa dans les îles de la Sonde en 1883.

En traversant les gouttes de pluie *les rayons lumineux du Soleil, blancs à l'entrée, ressortent décomposés en sept couleurs pour former l'arc-en-ciel. On obtient le même phénomène avec un prisme.*

Lumière du Soleil

Goutte de pluie

Couleurs de l'arc-en-ciel

Une mince pellicule d'air

La Terre est enveloppée d'un « manteau » gazeux qui constitue l'atmosphère. Celle-ci est composée essentiellement de deux gaz : l'azote (78 pour 100) et l'oxygène (21 pour 100) ; le 1 pour 100 restant est constitué de gaz divers dont certains ne sont présents que dans des proportions infimes.

La pression de cette atmosphère, c'est-à-dire le poids de l'air qui se trouve au-dessus de nous, diminue très vite à mesure que l'on s'élève. C'est au point qu'à 5 500 mètres d'altitude seulement, l'on a en dessous de soi la moitié de l'air présent dans l'atmosphère.

La basse atmosphère s'appelle la troposphère et s'étend jusqu'à 12 kilomètres d'altitude en moyenne (un peu moins au-dessus des pôles, un peu plus au-dessus de l'équateur) : c'est dans cette partie que se déroulent la quasi-totalité des phénomènes météorologiques. Au dessus s'étendent la stratosphère (jusqu'à 50 km) qui est le lieu d'évolution des ballons-sondes, puis la mésosphère (jusqu'à 80 km), la thermosphère (jusqu'à 600 km) et enfin l'exosphère, où circulent la plupart des satellites artificiels.

L'atmosphère terrestre n'a pas de limite bien définie ; on

peut seulement dire que cette frontière floue, dont la distance varie d'ailleurs suivant l'activité du Soleil, se place entre 3 000 et 3 500 kilomètres d'altitude.

Phénomènes atmosphériques étonnants

L'atmosphère est le siège d'un grand nombre de phénomènes lumineux spectaculaires. L'un des plus connus est évidemment l'arc-en-ciel.

Il se produit quand il pleut dans une partie du ciel située face à un observateur si, au même moment, celui-ci a le Soleil dans le dos. En passant à travers les gouttes d'eau, les rayons lumineux sont décomposés, comme dans un prisme, en une succession de couleurs qui vont du bleu au rouge en passant par le vert, le jaune et l'orange. Et toutes ces teintes sont renvoyées, vers l'observateur, disposées en demi-cercle, en arc...

L'air se raréfie très vite avec l'altitude : on respire difficilement au-dessus de 5 kilomètres. A l'altitude où évolue Concorde (17 km) il y a si peu d'air que le ciel est presque noir en plein jour. Les satellites, au-dessus de 120 kilomètres, circulent pratiquement dans le vide.

Lorsque le Soleil ou la Lune se trouvent près de l'horizon, leurs rayons ont à traverser une épaisseur d'atmosphère environ 30 fois plus importante que lorsqu'ils sont au zénith, c'est-à-dire haut dans le ciel au-dessus de notre tête. De ce fait, ils sont déviés (« réfractés » disent les physiciens). Ce qui a pour résultat de donner une image aplatie des deux astres.

Souvent, l'on a aussi l'impression que la Lune et le Soleil sont plus gros lorsqu'ils sont près de l'horizon. C'est là, en fait, une illusion. Elle vient du fait que dans le ciel nous ne disposons d'aucun élément de comparaison, alors que près de l'horizon des objets familiers (arbres, maisons, montagnes, etc.) nous conduisent à donner à la Lune ou au Soleil des proportions relatives plus importantes.

L'on peut aussi se demander pourquoi le ciel est bleu. Cela tient à ce que les molécules d'air diffusent surtout les rayonnements de courte longueur d'onde (violet et bleu) en arrêtant la plus grande partie des autres. Inversement, quand la couche d'air à traverser est épaisse (près de l'horizon) ou chargée de poussières, ce sont les rayonnements de plus grande longueur d'onde (rouge, orange)

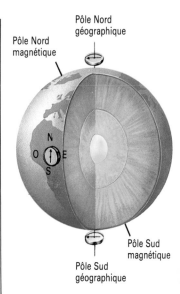

L'axe de rotation terrestre *est comme une tige qui transpercerait la planète. Les pôles géographiques se placent là où cet axe sort du globe. Les pôles magnétiques sont décalés d'environ 10°.*

qui sont favorisés, d'où la couleur rouge du Soleil couchant.

L'environnement magnétique de la Terre

Notre planète possède un champ magnétique, avec un pôle Nord et un pôle Sud. Tout se passe comme s'il existait un gigantesque barreau aimanté à l'intérieur du globe terrestre. C'est ce « barreau » qui attire l'aiguille de la boussole toujours dans la même direction et nous permet de savoir où se trouve le Nord.

Les points où le barreau imaginaire « perce » la surface du globe constituent les pôles magnétiques de la Terre. Ils ne coïncident cependant pas tout à fait avec les pôles géographiques, ceux qui figurent sur les cartes. Ils s'en écartent de quelques milliers de kilomètres. Le pôle Nord magnétique se situe dans le Grand Nord canadien, le pôle Sud près de la terre Adélie, dans l'Antarctique. Rappelons que les pôles géographiques correspondent aux deux extrémités de l'axe de rotation de la Terre.

La magnétosphère protège la Terre des particules électrisées venues du Soleil. Ce cocon protecteur invisible est formé par les lignes du champ magnétique terrestre.

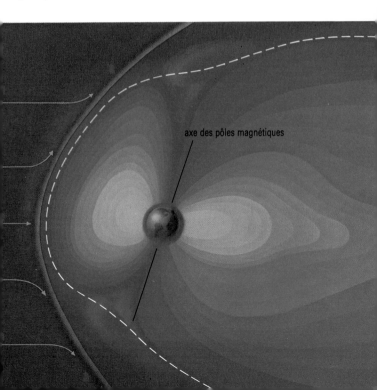

axe des pôles magnétiques

Le système solaire

On ne se rend sans doute pas assez compte à quel point le système solaire, c'est avant tout... le Soleil lui-même. Tout ce qui compose ce système, les planètes, leurs satellites naturels — des « lunes » comparables à la nôtre, celle que nous voyons dans notre ciel nocturne —, d'autres corps dont nous reparlerons, tout cela ne forme en fait qu'un vaste anneau de « déchets » éparpillés autour du Soleil dans un disque dont le diamètre atteint quelque 10 milliards de kilomètres. A lui seul, le Soleil représente 99,86 pour 100 de toute la matière du système dont il est le centre. En comparaison, ce qui l'entoure, y compris notre belle Terre, n'est que poussière...
Mais ce système, d'où vient-il, comment s'est-il formé ?

Les astronomes s'accordent à penser que notre Soleil est né par contraction d'un gigantesque nuage de gaz et de poussières, voici environ 4 600 millions d'années.

Plus cette matière se contractait, plus la pression augmentait au centre du nuage. Il en résultait une énorme augmentation de chaleur : jusqu'à 12 millions de degrés. Or, à cette température-là, certains atomes se soudent l'un à l'autre pour ne plus former qu'un : ils « fusionnent ». L'hydrogène devint ainsi de

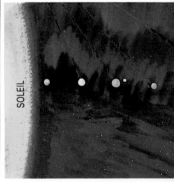

SOLEIL

Mercure   Vénus   Terre et Lune   Mars

l'hélium. Et cette transformation provoqua un énorme dégagement d'énergie.

C'est ainsi qu'une étoile se mit à briller : le Soleil était né.

Puis, des corps distincts

La sphère de matière qui l'enveloppait à l'origine, et qui était en rotation, s'aplatit sous l'effet de la force centrifuge et prit l'apparence d'un disque. Au centre de celui-ci des grumeaux se formèrent et se balayèrent mutuellement, grossissant par un effet de boule de neige. Lorsqu'ils furent suffisamment volumineux, ils prirent une forme quasi sphérique et devinrent des planètes.

En se balayant mutuellement, les poussières qui existaient après la formation du Soleil ont donné naissance à des corps sphériques de tailles très variées : les planètes.

Jupiter   Saturne   Uranus   Neptune   Pluton

Comme les Égyptiens, les Incas vénéraient le Soleil. A Machu Pichu, dans les Andes péruviennes, se dresse une « Pierre solaire » devant laquelle les prêtres incas saluaient le lever de l'astre.

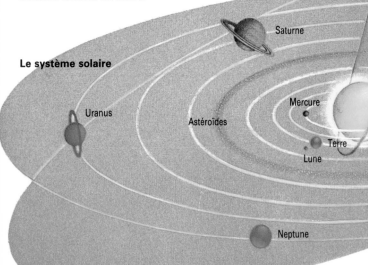

Le système solaire

Saturne

Uranus

Astéroïdes

Mercure

Terre

Lune

Neptune

Dans un rayon de 7 milliards de kilomètres autour du Soleil évoluent 9 planètes, une cinquantaine de lunes, plus de 3 000 astéroïdes, des météorites et des comètes.

Les quatre premières, situées dans une zone riche en poussières (silicium et fer notamment), sont devenues des planètes de taille relativement faible, mais denses : ce sont les planètes telluriques, dont la Terre fait partie (*tellus*, en latin, signifie d'ailleurs « terre »).

Les deux corps suivants sont nés dans une zone riche en gaz (hydrogène, hélium essentiellement). Ce sont les planètes géantes, Jupiter et

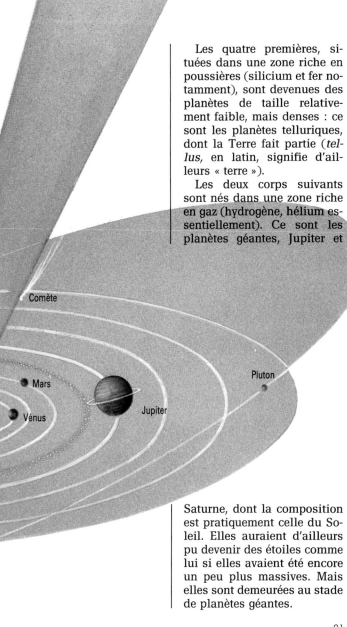

Comète

Mars

Vénus

Jupiter

Pluton

Saturne, dont la composition est pratiquement celle du Soleil. Elles auraient d'ailleurs pu devenir des étoiles comme lui si elles avaient été encore un peu plus massives. Mais elles sont demeurées au stade de planètes géantes.

Les deux suivantes, Uranus et Neptune, sont des planètes plus petites, mais géantes, elles aussi, comparativement aux telluriques ; elles sont essentiellement formées de glace par suite de l'abondance d'oxygène et d'hydrogène (constituants de l'eau) dans ces régions reculées du système solaire, et des très basses températures qui y règnent (− 180 à − 220° C).

Vient enfin Pluton, la plus petite planète du système solaire. On en sait peu de chose, sinon qu'elle est couverte de méthane gelé. Le méthane est ce gaz composé de carbone et d'hydrogène que l'on trouve, par exemple, dans la vase des marais : c'est lui qui fait des bulles quand on y plante un bâton. Et c'est aussi

L'étoile géante Bételgeuse pourrait englober le système solaire jusqu'à Mars.

■ Etoiles et planètes: quelle différence ?

La Terre, Vénus, Saturne et les autres planètes, ainsi que leurs satellites (telle la Lune), sont des corps relativement froids qui n'émettent presque plus aucune énergie lumineuse. Ce sont des astres apparemment « morts ». En revanche, le Soleil et les autres étoiles sont des astres « vivants » en pleine évolution. Ils sont, nous le verrons, le siège de violentes réactions nucléaires, ce qui explique notamment l'éclat dont ils brillent.

Analyse du sol lunaire en profondeur par le radar d'un vaisseau Apollo.

lui que redoutent les mineurs, qui l'appellent d'un autre nom : le grisou.

Un gigantesque champ de bataille

Il est à peu près certain aujourd'hui que la formation du système solaire a été relativement rapide. Elle s'est achevée environ 60 millions d'années après la naissance du Soleil. Par rapport à son âge actuel, cela représente l'équivalent des 5 premiers mois d'une vie humaine.

De la « partie de billard » cosmique dont sont nées les planètes, il est resté des déchets plus petits, qui ont continué de tourner autour du Soleil. Au hasard de leurs orbites ils ont bombardé la surface des différentes planètes constituées, et de leurs satellites. Toutes en gardent des cicatrices, surtout celles qui n'ont pas d'atmosphère.

Les planètes Mercure et Mars, notamment, sont criblées de cratères. Il en est de même pour pratiquement tous les satellites naturels de Mars, Jupiter ou Saturne.

Notre propre Lune n'échappe pas à la règle, comme le confirme le simple examen de sa surface au télescope. Les analyses effectuées à l'occasion des missions Apollo ont montré que ce bombardement cosmique a lui aussi été relativement bref, puisqu'il s'est étendu sur « seulement » 600 à 700 millions d'années.

Le calme règne donc dans le système solaire depuis près de 4 milliards d'années. Bien entendu, des impacts de grosses météorites surviennent encore de temps à autre, mais avec un rythme et une intensité considérablement plus faibles.

Au cours du programme Apollo, de 1969 à 1972, douze hommes ont marché sur la Lune. Ils ont découvert un astre mort, désertique. A perte de vue s'étendent des plaines de lave, recouvertes d'une mince couche de poussière et jonchées de pierres de toutes tailles. Au-dessus de la Lune

Io, l'un des satellites de Jupiter (à gauche) est à peu près de la taille de notre Lune, dont on voit ici (en haut à droite) une partie de la face cachée. Douze hommes ont déjà marché sur la Lune, tandis que Io n'a été survolé que par des sondes spatiales automatiques.

règne un vide quasi absolu. Il n'y a pas d'air, et c'est pourquoi le ciel y est noir même en plein jour. Les appareils scientifiques laissés à la surface par les astronautes ont révélé notamment qu'il existe des tremblements de Lune. Mais ces séismes sont de très faible intensité : les plus violents seraient tout juste ressentis par un homme.

La Lune est donc un astre inexploitable sur le plan économique. Il n'y a ni minerais ni pierres précieuses à sa surface. Il n'est d'ailleurs pas prévu de retourner sur la Lune dans un proche avenir. Mais on y installera certainement des bases scientifiques permanentes, comme dans

l'Antarctique, au début du XXIe siècle.

De toute façon, l'homme ne se rendra pas de sitôt sur d'autres mondes, car si la durée d'une mission lunaire est d'une semaine environ, un aller-retour vers les planètes, même proches, se chiffrerait en années. Or des hommes ne sont jamais restés dans l'espace pendant plus de 7 mois. Quant au voyage vers les étoiles, il demanderait, avec les fusées actuelles, plusieurs milliers de siècles !

Pendant longtemps encore les informations que nous glanerons sur les astres proviendront soit de sondes automatiques, soit de télescopes spatiaux.

L'exploration de la Lune s'est faite par des véhicules automatiques (Lunokhod soviétique) et par des astronautes se déplaçant sur une jeep spéciale (programme Apollo américain).

Une « sœur »...
bien différente : Vénus

La Terre domine le groupe des quatre planètes telluriques par sa taille, mais elle est talonnée par Vénus, à peine moins volumineuse, au point que les astronomes la considéraient il n'y a pas si longtemps comme une planète sœur. En fait, ces deux mondes sont en tout point dissemblables.

Vénus, plus proche du Soleil, reçoit de celui-ci deux fois plus d'énergie. L'eau qu'elle devait posséder à l'origine s'est donc évaporée, puis s'est dissociée sous l'action du rayonnement solaire. Désormais, l'atmosphère de Vénus est constituée pour 96 pour 100 de gaz carbonique et pour 4 pour 100 d'azote.

Ce gaz carbonique a la même propriété que le verre des serres : il laisse passer la lumière du Soleil mais bloque la chaleur renvoyée par le sol. La température peut alors s'élever jusqu'à + 470° C. Des métaux comme le plomb et l'étain fondraient donc à la surface de Vénus ! En outre, la pression au sol est écrasante, puisqu'elle dépasse 90 fois celle de l'atmosphère terrestre : c'est la pression que l'on trouve dans nos océans à 1 kilomètre de profondeur...

C'est entre 42 et 59 kilomètres d'altitude que se tiennent les étranges nuages de Vénus, constitués non pas de vapeur d'eau comme les nuages terrestres, mais de gouttelettes d'acide sulfurique ! Ils sont si nombreux et si opaques qu'ils ne comportent aucune trouée.

On ne peut donc jamais apercevoir le sol de Vénus depuis la Terre, le relief de la planète n'ayant pu être établi que par radar. Les ondes radar traversent en effet les nuages, permettant en quelque sorte de « palper » la surface à distance. On sait ainsi que la surface de Vénus est assez peu accidentée, à l'exception

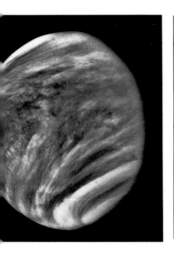

de *Bêta Régio.* C'est une zone où se trouvent notamment deux volcans qui pourraient bien être encore en activité. On y observe également deux plateaux baptisés *Ishtar terra* et *Aphrodite terra.*

Notons enfin qu'en bordure de *Isthar terra,* par 60° de latitude nord, se dresse le plus haut sommet vénusien, le mont Maxwell, qui culmine à l'altitude impressionnante de 10 800 mètres.

Pour être visibles, les nuages de Vénus doivent être photographiés à travers un filtre bleu. Mais le sol de cette planète, en réalité, est jaunâtre.

Mars, la « planète rouge »

Si Vénus précède la Terre, dans l'ordre des distances au Soleil, Mars la suit. Plus éloignée, elle reçoit donc du Soleil une énergie moindre, ce qui se traduit, à l'inverse de Vénus, par des températures très basses. Il est rare que l'on trouve plus de 0° C à la surface de cette planète, la moyenne se situant aux alen-

Deux grandes étapes de l'exploration planétaire : atterrissage des sondes Viking sur Mars (1976), et survol des planètes Jupiter et Saturne (1979 à 1981) par les sondes Voyager.

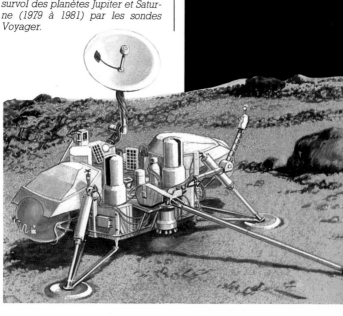

tours de − 50°. Dans les régions polaires, on a même mesuré − 130°.

Il n'y a pas non plus d'eau sur Mars, mais de nombreux traits du relief, et notamment des vallées sinueuses, laissent penser qu'il y en a eu à certaines époques de la vie de la planète. Sans doute cette eau est-elle actuellement enfouie dans le sous-sol des régions polaires, pour former ce que les géologues appellent un « permafrost ».

Les sondes qui se sont posées à la surface de la planète et qui ont filmé celle-ci pendant plusieurs années, ont permis de suivre l'évolution des saisons martiennes, lesquelles sont deux fois plus longues que les saisons terrestres (une année martienne équivaut en effet à 1 an et 11 mois terrestres). En hiver, on a même assisté à des chutes de neige. Mais il s'agit de neige carbonique, le constituant essentiel de l'atmosphère martienne (95 pour 100) étant le gaz carbonique. Il faut signaler également que la durée du jour sur Mars est à quelques minutes près celle du jour terrestre.

La surface de Mars est totalement désertique et jonchée de pierres aux formes tantôt douces (ressemblant à de la pierre ponce), tantôt anguleuses. Ces pierres gisent plus ou moins enfoncées dans un tapis de sable rougeâtre, qui contient une forte proportion d'oxyde de fer. Par endroits les vents forment même de petites dunes.

Tout aussi étonnants sont ces énormes volcans situés dans l'hémisphère nord, sur le plateau *Tharsis*. Le plus gros d'entre eux, *Nix Olympica*, est un énorme cône de lave de 600 kilomètres de diamètre à la base et 26 000 mètres de hauteur, soit trois fois l'Everest, le plus haut sommet terrestre ! Il est éteint depuis environ 1 million d'années.

 ### *Et les « petits hommes verts » ?*

En 1859, l'astronome italien Secchi crut voir sur Mars des lignes droites qu'il baptisa canali, *« canaux ». D'autres observateurs vinrent confirmer ses dires. Vers la fin du siècle, on ne dénombrait pas moins de 400 canaux ! Il ne pouvait s'agir, pensait-on, que d'ouvrages d'art creusés par des êtres intelligents. Et dès 1898, l'Anglais H.G. Wells imaginait, dans* La guerre des mondes, *les Martiens envahissant la Terre... On sait aujourd'hui, grâce aux sondes spatiales, que ces prétendus canaux sont en fait des illusions d'optique. Et les Martiens sont, eux aussi, purement imaginaires : il n'y a pas de « petits hommes verts » sur la planète rouge. Les sondes qui s'y sont posées n'y ont d'ailleurs décelé aucune trace de vie.*

L'analyse du sol martien, effectuée par les sondes automatiques qui s'y sont posées, n'a révélé aucune trace de vie. Il n'y a ni microbes, ni animaux, ni végétaux à la surface de cette planète désertique.

Torride et glacée : Mercure

La plus petite des planètes telluriques est Mercure. Elle est seulement deux fois plus volumineuse que notre Lune, à laquelle elle ressemble comme une sœur. Les sondes spatiales qui l'ont survolée ont en effet révélé un globe criblé de cratères d'impact.

Mercure n'a pas d'atmosphère. Elle est la planète la plus proche du Soleil. Dans son ciel, le Soleil est trois fois plus large que dans le nôtre. Conséquence inévitable, la température y est également plus élevée, atteignant près de 400° C à l'équateur, à midi. Inversement, la nuit, du fait qu'il n'y a aucune atmosphère pour conserver la chaleur, la température tombe en dessous de − 150°.

Mercure est ainsi la planète sur laquelle on enregistre les plus fortes variations de température (près de 600 degrés !) en une demi-journée, ce qui représente cependant près de trois de nos mois terrestres.

Mercure ressemble beaucoup à la Lune. *Très proche du Soleil, cette planète connaît une température de + 400° sur sa face tournée vers le Soleil. Mais comme il n'y a pas d'air pour répartir la chaleur, la face nocturne est à − 150° !*

Les astéroïdes : l'impossible recensement

Au-delà de Mars, en s'éloignant du Soleil, circulent des milliers de petites planètes étalées dans un vaste anneau de 500 millions de kilomètres de large. Ce sont les astéroïdes, dont le plus gros, Cérès (1 000 km de diamètre), fut découvert en 1801. D'autres ont été repérés depuis lors, au point que l'on en compte aujourd'hui plus de 2 600, et que la liste s'allonge pratiquement d'une unité chaque jour ! Ceux que l'on parvient à photographier avec les moyens modernes ont seulement quelques centaines de mètres de diamètre ; mais il en existe certainement de plus petits encore.

Si tous ces astéroïdes étaient fondus en un seul astre, ils ne formeraient qu'un globe de 1 500 kilomètres de diamètre, 600 fois moins volumineux que la Terre.

Les planètes géantes

Jupiter et Saturne sont les deux plus grosses planètes du système solaire. Ces énormes sphères de gaz s'entourent d'une mince atmosphère dans laquelle évoluent des nuages de méthane et d'ammoniaque cristallisés. Ces nuages s'étirent en bandes alternativement claires et sombres, parallèlement à l'équateur, sous l'effet de l'intense force centrifuge provoquée par la rotation de ces planètes. Jupiter et Saturne tournent en effet très rapidement sur elles-mêmes, en 10 heures environ. Au niveau de l'équateur, on a observé des nuages qui se déplaçaient à 500 km/h pour Jupiter, et

__Entre Mars et Jupiter__ circulent les astéroïdes : des milliers de corps rocheux qui ne mesurent pour la plupart que quelques kilomètres de diamètre.

*Les photos des sondes **Voyager** permettent de découvrir dans le détail les bandes nuageuses de Jupiter. Sous ces nuages la planète n'est qu'une énorme boule faite de plusieurs coquilles d'hélium et d'hydrogène. On a également découvert, autour de la planète, un mince anneau de matériaux.*

1 800 km/h pour Saturne ! Nos tempêtes feraient donc là-bas l'effet d'une petite brise.

Au milieu des nuages de Jupiter la température est voisine de − 140° C. La formation atmosphérique la plus étonnante de cette planète est une sorte d'énorme « œil » rougeâtre connu sous le nom de « grande tache rouge ». Ses dimensions se réduisent lentement, mais elle mesure encore près de 40 000 kilomètres de long.

Sur Saturne il n'y a pas de tache rouge géante mais on a pu repérer des taches blanches qui sont des cyclones d'une rare violence.

Et les comètes ?

Une tête brillante, accompagnée d'une longue traînée lumineuse, de plus en plus grande, car de plus en plus éclairée, à mesure qu'elle s'approche du Soleil : c'est le spectacle, rare mais grandiose, qu'offrent les comètes lorsqu'elles passent au voisinage de la Terre. Il n'existe encore aucune observation directe de leur partie solide : il s'agit sans doute de noyaux de glace et de poussières. Elles décrivent des trajectoires très allongées et s'éloignent donc à plusieurs dizaines de milliards de kilomètres, jusqu'aux limites du système solaire ; quelques-unes même s'en échappent. Et on pense aujourd'hui que certaines d'entre elles venaient d'ailleurs et entraient pour la première fois dans le système solaire lorsqu'on les a observées.

Des chapelets de « glaçons »

Les anneaux de Saturne sont connus depuis longtemps. C'est Galilée qui, en 1610, les découvrit lorsqu'il braqua pour la première fois une lunette astronomique vers cette planète. Il ne savait pas, toutefois, de quoi il s'agissait et c'est à l'astronome hollandais Christian Huygens que l'on doit d'avoir trouvé la bonne explication, quarante ans plus tard.

Les anneaux de Saturne sont constitués de blocs de glace circulant en rangs serrés.

Les anneaux de Saturne ne sont pas autre chose que des milliards et des milliards de « glaçons » tournant autour de la planète en rangs serrés, au sein d'un disque de près de 300 000 kilomètres de diamètre. Ce disque est toutefois très plat puisqu'il a moins de 100 mètres d'épaisseur : à la même échelle, un disque microsillon devrait avoir 30 kilomètres de diamètre ! Toute la glace qui constitue les anneaux de Saturne, si elle était fondue pour former un astre unique, ne représenterait plus alors qu'un globe de 300 à 350 kilomètres de diamètre...

Les « dernières-nées »

Contrairement aux planètes précédentes, visibles à l'œil nu et par conséquent connues depuis au moins l'Antiquité, les géantes de glace que sont Uranus et Neptune n'ont été ajoutées qu'assez récemment au tableau de chasse des astronomes. Uranus a en effet été découverte en 1781 par l'Anglais William Herschel, et Neptune en 1846 par l'Allemand Jean Galle.

Ces planètes sont toutefois si éloignées (2,6 et 4,3 milliards de kilomètres de la Terre respectivement) que les plus puissants télescopes ne nous montrent que de vagues traînées grises à leur surface. On sait seulement qu'elles s'entourent d'une épaisse atmosphère de méthane, et que l'axe de rotation d'Uranus est perpendiculaire à l'orbite ; autrement dit, cette planète tourne presque complètement « couchée »... En 1977, on a aussi découvert des anneaux (au nombre de 9) encerclant Uranus ; ils sont minces et sombres.

La dernière planète connue du système solaire, Pluton, fut découverte en 1930 par l'astronome américain Clyde Tombaugh. C'est aussi la plus petite que l'on connaisse puisqu'elle ne mesure guère plus de 3 000 kilomètres de diamètre.

Le Soleil : une étoile banale

Comparées au Soleil, les planètes, nous l'avons vu, apparaissent très petites, voire minuscules dans le cas des planètes telluriques ou de Pluton. Pourtant, le Soleil lui-même n'a rien d'un astre extraordinaire en regard de bon nombre des autres étoiles — il est lui-même, rappelons-le, une étoile. Il paraît même dérisoire si on le compare à l'une des plus grosses étoiles connues, VV Céphéi : elle est

Une folle vitesse

300 000 kilomètres à la seconde, un milliard de kilomètres à l'heure, 10 000 milliards de kilomètres par an : telle est la folle vitesse à laquelle voyage la lumière. Le trajet qu'elle parcourt en une année a permis de créer une unité de mesure, l'année-lumière, qui sert à calculer les distances considérables entre les étoiles et les systèmes d'étoiles, les galaxies. Les astronomes utilisent en outre le parsec, qui correspond à 3,26 années-lumière.

en effet 2 milliards de fois plus volumineuse que lui.

Mais même s'il est presque « nain », avec 1 400 000 kilomètres de diamètre, le Soleil demeure si volumineux qu'il pourrait contenir plus d'un million de planètes comme la Terre !

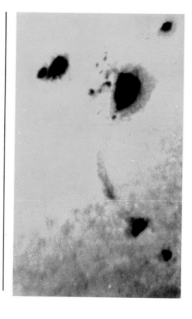

A la surface du Soleil apparaissent des taches sombres aux bords déchiquetés. Au-dessus de cette surface, s'étend une vaste et chaude atmosphère, invisible sur le bleu du ciel : la couronne. Les satellites astronomiques nous la révèlent.

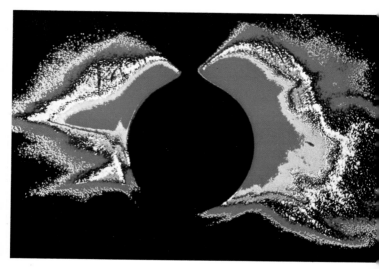

Des taches
qui en disent long

Ce que nous voyons du Soleil quand nous le regardons dans le ciel, correspond seulement à l'enveloppe d'où partent les rayons lumineux auxquels notre œil est sensible. Cette enveloppe délimite une surface appelée photosphère.

Sur la photosphère se distinguent des « grains de riz », c'est-à-dire une juxtaposition de petites taches d'environ 2 000 kilomètres de diamètre qui correspondent à des bulles de gaz chauds. Mais ce qui frappe surtout, c'est la présence de taches sombres, aux bords déchiquetés, qui parsèment le disque solaire.

Il s'agit de zones où le champ magnétique interne du Soleil vient crever en surface, provoquant un refroidisse-

Les « flammes » du Soleil (protubérances) sont des jets d'hydrogène.

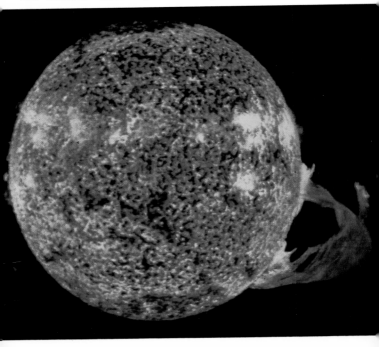

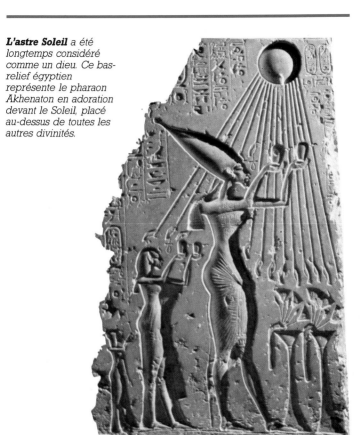

L'astre Soleil a été longtemps considéré comme un dieu. Ce bas-relief égyptien représente le pharaon Akhenaton en adoration devant le Soleil, placé au-dessus de toutes les autres divinités.

ment. Alors que la température moyenne de la photosphère est de 5 500 degrés environ, celle des taches est voisine de 4 000 degrés ; elles apparaissent donc noires par un effet de contraste.

Le record revient à un groupe de 107 taches qui, en avril 1947, s'étala sur 320 000 kilomètres de long : on aurait pu aliger 25 fois la Terre devant lui.

En moyenne, une grande tache isolée ou un petit groupe ont à peu près la taille de notre planète. Ces taches disparaissent après quelques semaines d'existence, pour être remplacées par d'autres.

En relevant leur position chaque jour on a pu mesurer

ainsi la période de rotation du Soleil. Comme il est composé d'une masse fluide, le Soleil tourne plus vite à l'équateur que dans les régions polaires : 25 et 34 jours respectivement. Le nombre des taches solaires, et leur étendue, varie suivant un cycle de 11 ans environ : c'est le cycle d'activité du Soleil.

D'immenses « ponts » d'hydrogène

Au-dessus de la photosphère s'étend une couche gazeuse de 10 000 km d'épaisseur : c'est la chromosphère, qui correspond à la basse atmosphère du Soleil. C'est dans cette chromosphère que naissent les « protubérances », qui sont en quelque sorte les flammes du Soleil, bien qu'il ne s'agisse pas d'une combustion au sens où nous l'entendons sur Terre.

Ces protubérances sont de gigantesques arches d'hydrogène, qui jaillissent jusqu'à plusieurs dizaines de milliers de kilomètres de hauteur, se déforment, se brisent et retombent vers la surface, en quelques heures. En 1946, lors d'un maximum d'activité du cycle solaire, on a même vu une protubérance s'élever jusqu'à 1 700 000 kilomètres, ce qui est supérieur au diamètre du Soleil lui-même.

Au-dessus de la chromosphère s'étend la couronne, c'est-à-dire la haute atmo-

Couronne

Protubérance

A l'intérieur du Soleil, de l'hydrogène porté à plusieurs millions de degrés forme des tourbillons appelés cellules de convection ; elles transportent vers la surface le gaz chaud venu des profondeurs.

sphère du Soleil. Elle n'est visible qu'à l'occasion des éclipses totales de Soleil car sa luminosité est un million de fois inférieure à celle du ciel bleu. C'est pourquoi on ne peut pas la voir en temps normal, sauf en utilisant des lunettes spéciales appelées coronographes, qui permettent de recréer des éclipses artificielles.

Des dépenses, mais aussi des réserves d'énergie colossales

Il est plus difficile de savoir ce qu'il y a sous la surface visible du Soleil, qui n'est pas observable directement.

C'est là que se déroulent les réactions nucléaires extrêmement puissantes dont le Soleil tire son énergie. Cha-

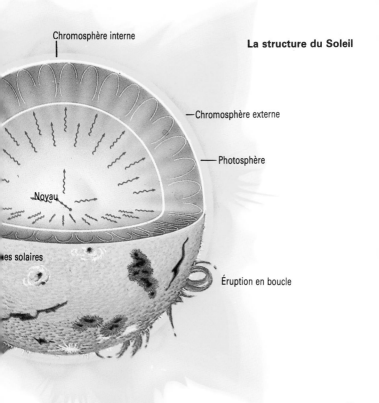

Chromosphère interne

La structure du Soleil

Chromosphère externe

Photosphère

Noyau

es solaires

Éruption en boucle

que seconde, l'astre transforme ainsi 600 millions de tonnes d'hydrogène en 596 millions de tonnes d'hélium. La différence, soit 4 millions de tonnes, est directement transformée en énergie. Le Soleil, pour briller, s'allège ainsi de 345 milliards de tonnes de gaz par jour, mais ce n'est qu'une goutte d'eau comparé à sa masse totale : depuis sa naissance, en effet, il a seulement perdu 0,03 pour 100 de la matière qu'il renfermait à l'origine. Et à ce rythme, les astronomes lui donnent encore une « espérance de vie » qui oscille entre 5 et 7 milliards d'années...

Le Soleil, nous l'avons vu, est une étoile banale, aux dimensions modestes. Il n'est que l'un des représentants d'une vaste famille regroupant des astres très divers.

Ceux-ci varient par leur taille. Souvenons-nous de VV Cé-

D'autres « aurores »

Parfois, on dirait que la chromosphère se « fâche ». Il se produit alors des « éruptions » solaires. Ce sont des jets de particules électrisées doués d'une énorme énergie. Ils se propagent très loin dans l'espace. Lorsqu'ils atteignent la Terre, ils provoquent divers phénomènes. Par exemple, ils perturbent les liaisons radio à longue distance. Ils agissent également sur les mouvements de l'atmosphère et peuvent modifier l'évolution du temps. Et surtout, ces éruptions sont à l'origine des belles aurores polaires que l'on peut voir aussi bien au nord (aurores boréales) qu'au sud (aurores australes). Ce sont de grands arcs lumineux, visibles dans le ciel, qui proviennent du choc entre les particules solaires et les hautes couches de l'atmosphère aux pôles.

Pour compenser les défauts des lentilles *l'astronome Hévélius, vers 1670, construisit cette lunette sans tube de 40 mètres de long !*

phéi : un « monstre » par rapport au Soleil. Mais à l'inverse, il existe aussi des étoiles plus petites que ce dernier. Sirius B, par exemple, a seulement la taille de la Terre. On a même découvert des étoiles qui sont encore plus petites, tels les pulsars : leur diamètre n'est que d'une dizaine de kilomètres — à peine la taille d'une grande ville. Nous y reviendrons.

Mais la taille n'est pas le critère principal pour classer les étoiles.

Une question de couleur

Les astronomes les classent en effet selon leur type spectral, c'est-à-dire leur couleur, qui traduit elle-même leur température de surface.

Des couleurs différentes ? C'est vrai qu'il y a là de quoi s'étonner. Les étoiles que

Des traits de feu dans le ciel

Les étoiles filantes, en dépit de leur nom, ne sont pas des étoiles qui se décrochent du ciel pour tomber sur la Terre. Il s'agit en réalité de poussières ou de petits fragments rocheux et métalliques — des météorites — qui circulent dans l'espace et, parfois, croisent l'orbite de notre planète. Ils traversent ainsi l'atmosphère à très grande vitesse (parfois 250 000 km/h !) et se trouvent brûlés en une fraction de seconde. Sur le fond du ciel nous voyons alors apparaître un fugitif et silencieux trait de feu.

Ces fragments célestes ont des tailles très diverses. Les plus petits sont microscopiques. Les étoiles filantes visibles à l'œil nu ont une taille qui va de celle d'un grain de sable à celle d'un gravillon. Au-delà, on observe des « bolides », véritables boules de feu qui peuvent éclairer le sol mieux que la pleine Lune ; leur poids est alors de quelques kilos au moment où il pénètrent dans l'atmosphère.

nous voyons la nuit ne nous paraissent-elles pas toutes blanches ? C'est que notre œil travaille mal dans l'obscurité. En particulier, il n'arrive presque plus à apprécier les couleurs. Mais il en va tout autrement lorsqu'on observe le ciel dans un télescope.

On constate alors que, parmi la multitude des étoiles, il y en a des bleues, des vertes, des jaunes, des orangées et des rouges. Les bleues sont les plus chaudes (plus de 30 000 degrés en surface), les rouges les plus froides (3 000 degrés « seulement »). Le Soleil, qui est une étoile jaune, possède une photosphère dont la température est d'environ 5 500 degrés, comme nous l'avons vu.

Il existe aussi des étoiles variables, dont l'éclat fluctue de façon parfois importante en l'espace de quelques heures pour les plus rapides, sur plusieurs dizaines d'années pour les plus lentes.

Lorsqu'une étoile s'éloigne ou s'approche par rapport à nous, les raies de son spectre, qui correspondent aux couleurs de l'arc-en-ciel, sont décalées vers le rouge ou vers le bleu.

Double page suivante : la voûte céleste telle qu'elle apparaît au pôle Nord, au pôle Sud et à l'équateur. La trajectoire du Soleil (carte de l'équateur) vient du fait que l'axe de ce dernier et celui de la Terre ne sont pas parallèles (ils forment un angle d'environ 23°). Durant sa course annuelle, le Soleil traverse les constellations du Zodiaque.

Le pôle Nord céleste

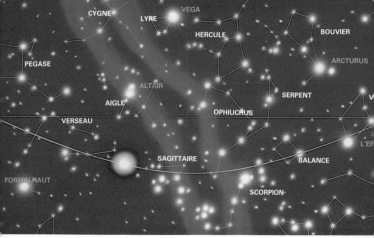

Le pôle Sud céleste

L'équateur céleste

La Voie lactée

Quand le ciel est bien noir il est possible d'apercevoir, parmi les étoiles, une longue traînée blanchâtre : c'est la Voie lactée, formée par une multitude d'étoiles trop serrées pour être distinguées individuellement. C'est en septembre, en soirée, que la Voie lactée est la mieux visible. Elle traverse alors le ciel de l'horizon nord-est à l'horizon sud-ouest en passant par le zénith. À mi-hauteur, en direction du sud-ouest, elle se divise en deux branches. Celle de droite est assez clairsemée mais celle de gauche, dans la constellation du Sagittaire, est particulièrement dense. C'est là que se situe le cœur de notre Galaxie.

Une galaxie est en quelque sorte une gigantesque cité stellaire, les immeubles étant ici des étoiles. Il en va de même pour notre Galaxie — que l'on écrit avec un G majuscule pour la distinguer des autres. Et la Voie lactée, c'est en quelque sorte le centre-ville, que nous observons depuis la banlieue de cette cité stellaire. Le Soleil se place en effet en bordure de la Galaxie.

Celle-ci se présente, de profil, comme un disque aplati et renflé au centre ; de face, elle ressemble à un « soleil » de feu d'artifice. Son diamètre est de quelque 100 000 années-lumière, son épaisseur de 15 000 années-lumière.

Le Soleil se place à 30 000 années-lumière du centre, autour duquel il tourne (comme toutes les autres étoiles) en 220 millions d'années. Il a donc déjà accompli une vingtaine de tours depuis sa naissance.

Les astronomes estiment que notre Galaxie renferme près de 200 milliards d'étoiles. Sur ce total 2 500 environ sont visibles à l'œil nu, par une belle nuit.

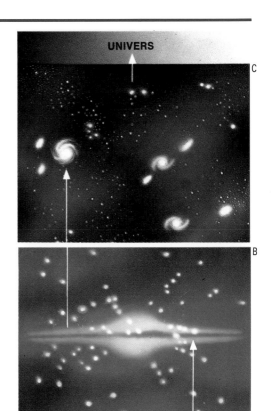

UNIVERS

C

B

A

Notre Terre n'est qu'une planète parmi d'autres dans le système solaire (A). Ce dernier, avec le Soleil au centre, se place en bordure d'un grand disque qui renferme 200 milliards d'autres étoiles : la Galaxie (B). Et celle-ci appartient à un groupe d'une trentaine de galaxies : l'Amas local (C), qui est lui-même perdu dans l'Univers.

« **Amas ouverts** »...

Les étoiles sont donc très nombreuses dans la Galaxie. Mais celle-ci est tellement étendue que la distance moyenne qui les sépare est considérable. Proxima Centauri, la plus proche de nous, se situe, nous l'avons vu, à un peu plus de 4 années-lumière. La suivante (l'étoile de Barnard) est à 6 années-lumière. On n'en compte que huit dans un rayon de 10 années-lumière autour du Soleil. En moyenne ces étoiles sont séparées par une distance qui représente dix millions de fois leur propre diamètre ; proportionnellement, cela correspond à peu près à des têtes d'épingle espacées de 20 kilomètres !

Constellations et zodiaque

Dès l'Antiquité, afin de pouvoir mieux se repérer dans le ciel, les astronomes ont imaginé de relier les plus brillantes étoiles par des lignes imaginaires, dessinant des animaux ou des personnages de légende. Ainsi trouve-t-on le Lion, le Cygne, l'Aigle, Hercule et Persée, par exemple. Un premier lot de 48 constellations furent répertoriées en 137 de notre ère par Ptolémée. Au fil des siècles de nombreux autres astronomes ont complété cette cartographie, en l'étendant à l'hémisphère austral.
Finalement, l'Union astronomique internationale a officialisé en 1927 le tracé de 88 constellations. Parmi celles-ci douze sont traversées par le Soleil au cours de son périple annuel et constituent le zodiaque : le Verseau (21 janvier) ; les Poissons (20 février) ; le Bélier (21 mars) ; le Taureau (21 avril) ; les Gémeaux (22 mai) ; le Cancer (22 juin) ; le Lion (23 juillet) ; la Vierge (23 août) ; la Balance (23 septembre) ; le Scorpion (23 octobre) ; le Sagittaire (22 novembre) ; le Capricorne (21 décembre).

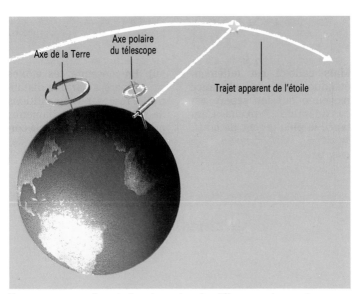

Axe de la Terre

Axe polaire du télescope

Trajet apparent de l'étoile

Pour compenser la rotation terrestre, les télescopes tournent en sens inverse. Ces grands cadrans solaires de pierre à Jaïpur, en Inde (ci-dessous), construits au XVIIIe siècle, donnent l'heure d'après la position du Soleil.

Mais on trouve aussi, dans la Galaxie, des étoiles groupées en amas.

Certains, appelés « amas ouverts », rassemblent quelques dizaines ou quelques centaines d'étoiles, encore assez espacées les unes des autres. Le plus bel amas de ce type est celui des « Pléiades », dans la constellation du Taureau.

... et « amas globulaires »

Plus spectaculaires encore sont les « amas globulaires », qui renferment jusqu'à 100 000 étoiles, regroupées dans une boule de 150 années-lumière de diamètre.

Le plus proche (matricule NGC 6397) est à 8 000 années-lumière du Soleil, ce qui représente une distance considérable. Il faut savoir en effet que les amas globulaires se répartissent dans une sorte de halo enveloppant notre Galaxie. Ils en constituent en quelque sorte les frontières.

Le plus beau des amas globulaires est « Oméga » de la constellation du Centaure, visible seulement depuis l'hémisphère sud.

En astronomie, qu'est-ce qu'un matricule ?

Pour répertorier les étoiles et les galaxies, les astronomes ont établi divers catalogues. Les astres sont alors désignés par les initiales du catalogue choisi, suivies d'un numéro d'ordre. Ainsi la galaxie d'Andromède est-elle appelée aussi M 31, car c'est le 31ᵉ corps céleste catalogué à la fin du XVIIIᵉ siècle par l'astronome français Charles Messier. Mais la même galaxie est appelée NGC 224 par les Américains d'après leur New General Catalogue (« Nouveau catalogue général »).

Nébuleuse America, *dans la constellation du Cygne.*

Les étonnantes nébuleuses

La Galaxie n'est pas seulement une vaste collection d'étoiles. Elles renferme également des nuages de gaz et de poussières, qui s'étirent entre les étoiles. Ces nuages proviennent soit de résidus d'étoiles qui ont explosé, soit de résidus laissés pour compte après la formation de certaines étoiles.

Quand ces nuages se trouvent à proximité d'une étoile en activité, ils se trouvent « excités » par le rayonnement de cette étoile et deviennent luminescents. On observe alors sur le ciel de splendides draperies colorées, qui forment des nébuleuses diffuses. La plus belle est sans doute la grande nébuleuse d'Orion.

Citons enfin les nébuleuses planétaires, ainsi baptisées parce qu'elles affectent le plus souvent la forme d'une planète. Ce sont des enveloppes de gaz éjectées par certaines étoiles lors de crises de croissance.

La grande nébuleuse d'Orion, *cartographiée par un radiotélescope, n'a pas la même forme que sur les photos prises au télescope.*

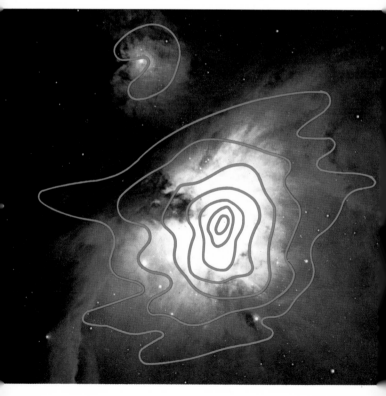

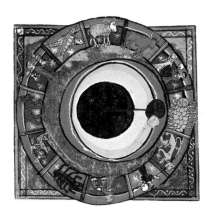

Les signes du Zodiaque. *Manuscrit du xve siècle.*

 ## *Faut-il croire aux horoscopes ?*

De nombreux journaux diffusent des horoscopes qui « prédisent » la destinée de chacun d'après la position des étoiles au moment de sa naissance.

Dès la plus haute Antiquité, en Mésopotamie, en Egypte, en Grèce, on a cru pouvoir lire l'avenir dans les astres. Ainsi naquit l'astrologie. Mais les constellations, nous l'avons vu, sont des figures purement imaginaires. Et il est évident que les individus nés au même instant de par le monde n'ont pas pour autant le même destin. Les bases de l'astrologie ne sont donc guère sérieuses. Et il ne faut pas confondre celle-ci avec l'astronomie qui est, elle, une science basée sur des faits d'observation indiscutables.

Double page précédente :

Suivant qu'elles contiennent plus ou moins de gaz que le Soleil, les étoiles suivent des destins fort différents. Après la période appelée T Tauri (2), où elles prennent leur forme sphérique à partir d'un nuage d'hydrogène (1), elles commencent à briller comme le fait actuellement notre Soleil (4) ; les plus jeunes restent entourées de nappes de gaz non absorbées, comme les Pléïades (3). Une petite étoile, comme notre Soleil, vieillira lentement (10 milliards d'années) avant de devenir géante rouge (5 et 6) puis naine blanche (7). Les plus grosses se transformeront en géantes bleues (8) qui consommeront rapidement leur hydrogène (en moins de 1 milliard d'années) puis exploseront en supernovæ (9) ; les gaz éjectés à cette occasion iront alimenter de nouvelles nébuleuses, tandis que le cœur de l'étoile s'effondrera en pulsar (10) voire en trou noir (11).

Le ciel, tel qu'il doit apparaître depuis le sol d'une planète tournant autour d'une étoile voisine.

Le destin des étoiles

Les étoiles ne sont pas des astres figés, même si leur vie se chiffre généralement en milliards d'années. Elles naissent, évoluent, et meurent, un peu comme les êtres vivants. Leur destin dépend avant tout d'une chose : leur taille d'origine.

Les plus petites vivent très longtemps (plus de 10 milliards d'années). En revanche les plus grosses disparais-

sent en quelques millions d'années seulement, après avoir brûlé toutes leurs réserves. Ces dernières connaissent souvent une mort par explosion et forment des supernovæ.

Le Soleil, ni trop petit ni trop gros, aura une vie assez peu agitée. Il est actuellement à peu près au milieu de son évolution, les astronomes considérant, nous l'avons vu, qu'il lui reste encore 5 à 7 milliards d'années à vivre.

Vers la fin il enflera pour englober les quatre premières planètes, de Mercure à Mars. La surface de la Terre sera alors complètement calcinée. Après quoi il se contractera pour devenir une naine blanche, c'est-à-dire une étoile dégénérée pas plus grosse que la Terre, et devrait rester dans cet état pour la nuit des temps.

D'étranges « squelettes » : les pulsars

Lorsque la masse initiale de l'étoile est supérieure d'au moins un tiers à celle du Soleil, on assiste à un cheminement différent. Si, par exemple, la quantité d'hydrogène au départ est double de celle que renferme notre Soleil, l'étoile vivra seulement 1 milliard d'années, c'est-à-dire dix fois moins longtemps, et finira par exploser en supernova.

L'éclat de l'explosion est tel que depuis la Terre l'étoile devient visible même en plein jour, car elle brille autant qu'un milliard de soleils réunis ! Il s'agit toutefois là d'un phénomène rarissime puisque l'on a seulement recensé huit explosions de supernovæ depuis le début de l'ère chrétienne.

Après l'explosion, la matière de l'étoile se répand dans l'espace à plusieurs millions de km/h. Mais au centre subsiste un noyau extraordinairement dense, qui tourne sur lui-même à une vitesse folle : plusieurs tours par seconde,

Les trous noirs *seraient en quelque sorte des gouffres dans l'espace, absorbant le gaz d'étoiles se trouvant près d'eux.*

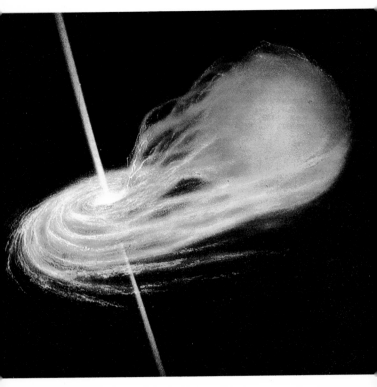

alors que notre Soleil met presque un mois pour faire un tour. Le rayonnement de ce noyau dense balaie alors l'espace comme un phare qui se serait emballé.

Ces astres étonnants sont les *pulsars,* formés d'une matière tellement comprimée que leur densité est 100 000 milliards de fois supérieure à celle du Soleil. Une petite parcelle de pulsar de la taille d'une tête d'épingle pèserait, sur une balance terrestre, le poids incroyable de 400 000 tonnes, soit l'équivalent de 10 000 wagons de chemin de fer !

Des « cannibales » parmi les étoiles

Pour les étoiles qui contiennent au départ une masse d'hydrogène 3 ou 4 fois supérieure à celle du Soleil, les astronomes imaginent un destin plus extraordinaire encore.

Après l'explosion en supernova, la densité du cœur central serait tellement grande que le pulsar s'effondrerait sur lui-même sous son propre

Avicenne, philosophe arabe de *l'an mille, relève la position des étoiles.*

poids. Les neutrons, c'est-à-dire les particules atomiques qui le constituent, se comporteraient en quelque sorte comme des œufs que l'on ne cesserait d'empiler les uns sur les autres : à partir d'un certain moment ceux du dessous s'écraseraient sous le poids de ceux du dessus. Dans le cas d'une étoile, on assiste ainsi à une implosion, c'est-à-dire une explosion à l'envers, dirigée vers l'intérieur.

La matière initiale se contracte toujours davantage, occupant un volume de plus en plus petit, ce qui fait croître sa densité à l'infini. Vient alors un moment où la force d'attraction de ce petit astre est telle que même les photons, c'est-à-dire les grains de lumière, ne peuvent plus s'échapper. Ils restent prisonniers de cet astre extraordinaire, qui retient sa propre lumière et devient donc invisible.

Et, comme un gouffre, il engloutit toute la matière.

D'où le nom que l'on donne à un tel gouffre invisible : *trou noir*.

Les galaxies de l'Amas local

De même que le Soleil n'est qu'une étoile perdue parmi les 200 milliards d'autres de la Voie lactée, notre Galaxie n'est qu'une galaxie ordinaire parmi un milliard d'autres.

On trouve des galaxies naines contenant « à peine » 10 milliards d'étoiles ; mais aussi des galaxies géantes : jusqu'à 1 000 milliards d'étoiles ! Leurs formes sont également très diverses puisqu'il y a des galaxies lenticulaires, des elliptiques, des spirales, des spirales barrées et des irrégulières.

Les galaxies ne sont pas régulièrement réparties dans l'Univers. On a constaté en effet qu'elles se regroupent en amas. Et que ces amas galactiques se regroupent eux-mêmes pour former des « super-amas ». Notre propre Ga-

Les astres les plus lointains sont les quasars, qui correspondent sans doute à des noyaux de galaxies primitives ; ils ont la taille d'une grosse étoile, mais rayonnent autant d'énergie que plusieurs milliards d'étoiles réunies. Les plus proches sont à plus de 2 milliards d'années-lumière de nous.

laxie appartient ainsi à un petit amas qui en renferme une trentaine d'autres : c'est l'Amas local, ou Groupe local.

Cet Amas local est dominé essentiellement par deux grandes galaxies : la nôtre et celle d'Andromède (M 31). Celle-ci est la seule que l'on puisse voir à l'œil nu dans l'hémisphère Nord. Elle apparaît comme une petite tache floue dans la constellation du même nom. A elles deux, elles accaparent les trois quarts des quelque 800 milliards d'étoiles que renferment les 28 galaxies recensées dans le Groupe local.

Des amas de galaxies beaucoup plus importants existent ailleurs dans l'Univers.

Le plus important est sans doute celui de la Vierge, que l'on appelle aussi l'amas Virgo, situé à 45 millions d'années-lumière de nous. Dans cet amas, on a compté près de 3 000 galaxies, soit cent fois plus que dans le Groupe local.

Notre Galaxie a une forme spiralée, *mais il en existe qui ont des formes différentes : elliptiques ou lenticulaires, par exemple.*

Aux frontières
de l'Univers

Si l'on excepte les Nuages de Magellan, ces deux petites galaxies irrégulières satellites de la nôtre, la plus proche des grandes galaxies est à 2 250 000 années-lumière de nous. Il s'agit de M 31 d'Andromède. C'est aussi l'astre le plus lointain que nous puissions voir à l'œil nu : 21 milliards de milliards de kilomètres ! Les galaxies de l'amas de la Vierge, nous l'avons vu, se situent à 45 millions d'années-lumière, mais il en existe de bien plus lointaines encore. Sur les photos prises avec les plus grands télescopes, les astronomes ont repéré des galaxies dont la distance avoisine le milliard d'années-lumière.

Au-delà, on observe des astres d'une autre nature, que l'on prit d'abord pour des étoiles, mais qui se sont avérés émettre une énergie extraordinaire, équivalant à celle de plusieurs milliards d'étoiles réunies. On les baptisa quasars, contraction de l'expression américaine « quasistars » (quasi-étoiles).

La percée de notre regard dans l'Univers dépend surtout de deux choses : du diamètre des miroirs de télescopes et de la sensibilité des plaques photographiques ou des caméras électroniques placées au foyer de ces télescopes. Plus le miroir est grand, et plus il peut collecter de lumière, pour la concentrer en son foyer, là où s'effectue l'observation. Par ailleurs, il faut un dispositif capable d'enregistrer la pâle lueur des astres lointains, que notre œil ne pourra jamais voir directement.

La grande galaxie d'Andromède est une des plus proches de nous. Sa partie centrale, très riche en étoiles, est suffisamment lumineuse pour être vue à l'œil nu, comme une étoile floue, si le ciel est bien noir.

C'est la navette spatiale qui larguera en orbite, à 500 kilomètres d'altitude, ce grand télescope spatial de 240 centimètres de diamètre qui doit révolutionner l'observation astronomique en 1986.

Séparation
du réservoir
ventral
et mise en orbite

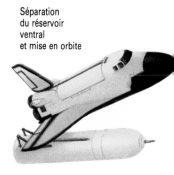

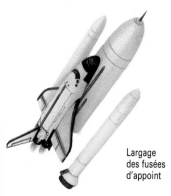

Largage
des fusées
d'appoint

Décollage
depuis
la base
de Cap
Canaveral

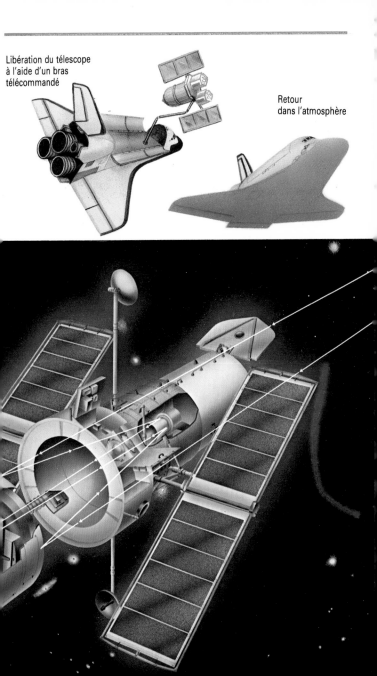

Libération du télescope à l'aide d'un bras télécommandé

Retour dans l'atmosphère

Vers la fin de l'année 1986, un télescope géant, qui sera placé en orbite autour de la Terre par la navette spatiale, à 500 kilomètres d'altitude, permettra d'aller plus loin encore. Bénéficiant du ciel parfaitement noir de l'espace, hors du filtre que représente l'atmosphère, il devrait nous révéler des astres 100 fois moins lumineux que les plus lointains actuellement perceptibles. Autrement dit, les astronomes devraient voir dix fois plus loin qu'aujourd'hui...

Que découvrirons-nous alors ? Il est bien difficile de le savoir, d'autant plus que la limite théorique de l'Univers se place, semble-t-il, à moins de 20 milliards d'années-lumière. Or le télescope spatial devrait « porter » à quelque 100 milliards d'années-lumière ! En principe, nous devrions donc assister, sinon à la naissance de l'Univers, du moins à ce qui s'est passé tout de suite après.

Que verra-t-on alors ? Cette question soulève de nombreux problèmes...

De plus en plus âgé

Les idées de l'Homme sur sa place dans l'Univers, ainsi que les dimensions et l'âge de celui-ci, ont profondément évolué depuis l'Antiquité. On sait aujourd'hui que ni la Terre, comme on le croyait au Moyen Age, ni le Soleil ne sont le centre du monde. Nous savons que même notre Galaxie est peu de chose dans le vaste cosmos.

Quant à l'âge attribué à l'Univers, il est frappant de constater qu'il s'est considérablement accru au cours des derniers siècles, et même des dernières décennies.

La première valeur précise a été avancée en 1658 par le pasteur irlandais James Usher, qui, à partir d'une étude de la Bible, fixa l'origine du Monde à 4 000 ans seulement avant Jésus-Christ.

Puis les découvertes paléontologiques du siècle dernier ont repoussé l'âge de la Terre à 2 milliards d'années.

Dans les années qui suivirent, les géologues se mirent d'accord pour considérer que la Terre était vieille d'environ 4,5 milliards d'années. Comme notre planète ne pouvait pas être plus âgée que l'Univers lui-même, il fallut reconsidérer les estimations à son sujet. Des mesures plus précises de la vitesse de fuite des galaxies, à partir de 1960, ont permis de situer à environ 15 milliards d'années dans le passé l'origine de l'Univers mais... à 5 milliards d'années près. L'incertitude, on le voit, est encore grande.

Au début : un grand boum !

Les théories actuelles sur l'origine de l'Univers n'ont guère plus d'un demi-siècle d'existence, et se répartissent en deux grands groupes.

Celle de l'Univers statique, en création continue, proposé par les astronomes anglais Fred Hoyle, Thomas Gold et Hermann Bondi en 1948. D'après leur théorie, l'espace existe depuis toujours et existera toujours. En outre, il est illimité.

Celle de l'Univers en expansion, né de l'explosion d'un petit noyau originel. C'est ce que l'on appelle le « modèle du Big Bang » (ou grand boum !), proposé pour la première fois par un astronome belge, l'abbé Georges Lemaître, en 1927.

Le phénomène de fuite des galaxies, et la découverte en 1965 d'un bruit de fond cosmique qui serait le résidu de cette explosion originelle, ont fait très nettement pencher la balance en faveur de l'hypothèse du Big Bang. Elle est retenue aujourd'hui par la majorité des astronomes.

__Jérôme Bosch__ a peint, au XVe siècle, le paradis terrestre. Toutes les religions ont leur conception de l'origine de l'Univers.

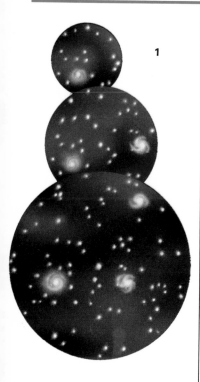

rieur équivaut à l'avenir (c'est-à-dire à la position qu'il occupera un peu plus tard). Le rayon du ballon est donc assimilable à la dimension du temps, qui est à sens unique, du passé vers l'avenir.

Imaginez un facteur à cheval qui, partant de Marseille, remonterait la vallée du Rhône pour se rendre à Paris, collectant des lettres tout au long de son passage. A l'arrivée, le correspondant parisien aurait ainsi des nouvelles assez récentes de son cor-

L'Univers serait donc semblable à un ballon que l'on gonfle, et à la surface duquel on aurait collé des confettis représentant les galaxies. A mesure que l'expansion se poursuit, les confettis s'éloignent les uns des autres : c'est bien ce que l'on constate avec les galaxies. L'intérieur correspond au passé (c'est-à-dire à la position qu'occupait le ballon-Univers un instant plus tôt), tandis que l'exté-

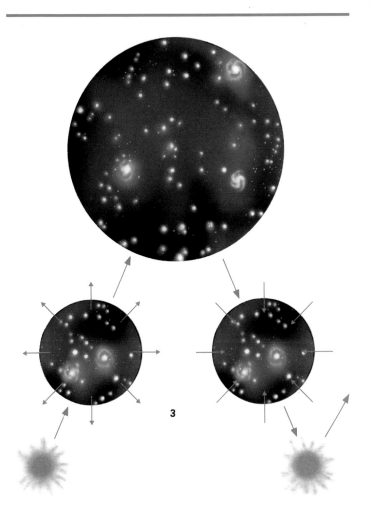

Trois hypothèses tentent d'expliquer l'origine et l'évolution de l'Univers : celle de l'Univers en création permanente (à gauche) qui a toujours existé et existera toujours, celle de l'Univers en expansion indéfinie, né d'une explosion originelle (au centre), et celle de l'Univers cyclique (ci-dessus) qui cessera un jour de s'étendre pour se contracter.

respondant à Fontainebleau, un peu moins récentes de son correspondant à Lyon et plus anciennes encore de son correspondant marseillais.

Il en va de même dans l'Univers où le messager qui nous apporte des informations sur les astres (la lumière) ne voyage pas à une vitesse infinie.

Nous voyons en effet la Lune telle qu'elle était il y a un peu plus d'une seconde (car sa distance est un peu supérieure à une seconde de lumière), le Soleil tel qu'il était il y a 8 minutes, Saturne telle qu'elle était il y a une heure et demie, et ainsi de suite.

De même, il faut savoir que lorsque la lumière de l'Étoile polaire parvient à notre œil, elle est déjà « vieille » de cinq siècles. Quant à la lumière de la galaxie d'Andromède, elle est partie il y a deux millions d'années, à l'époque où vivaient nos lointains ancêtres les australopithèques. Et celle du plus lointain quasar connu voyage depuis 13 milliards d'années. A cette époque, la Terre elle-même, comme le Soleil, n'était pas encore formée...

Et l'avenir de l'Univers ?

Sur ce point, les astronomes sont partagés. Deux possibilités se présentent, tout aussi plausibles l'une que l'autre dans l'état actuel de nos observations.

Ou bien l'Univers est en expansion indéfinie, c'est-à-dire qu'il va continuer d'enfler sans jamais s'arrêter. Ou bien il va ralentir son expansion, s'arrêter après avoir atteint un certain volume, et entamer une contraction jusqu'à retrouver l'état superconcentré qu'il avait avant le « Big Bang ».

Dans le premier cas on dit que l'Univers est ouvert, dans le second cas qu'il est fermé. Mais il y a une variante : celle de l'Univers pulsant. Pourquoi, après ce retour à l'état initial, ne pas imaginer une nouvelle explosion, suivie d'une autre contraction, et ainsi de suite en un cycle éternellement recommencé ?

Peut-être le télescope spatial nous permettra-t-il de trancher.

Sommes-nous seuls dans l'univers ?

Les sondes spatiales qui ont survolé les différentes planètes du système solaire et se sont posées sur quelques-unes d'entre elles nous ont appris qu'il n'y avait pas de vie développée ailleurs que sur Terre. Il n'empêche que l'on peut imaginer l'existence d'êtres vivants sur des planètes tournant autour d'autres étoiles.

Pour l'instant, cependant, nous n'avons aucun moyen de voir directement ces planètes (ce sera par contre possible avec le futur télescope spatial), et encore moins de détecter la vie à distance. A moins que sur certaines de ces planètes soient apparues des civilisations assez semblables à la nôtre, capables d'expédier des messages radio dans l'espace.

C'est pourquoi, en 1960, l'Américain Franck Drake a mis sur pied le programme « Ozma ». Il consiste à braquer des radiotélescopes vers certaines étoiles proches et assez semblables au Soleil, dans l'espoir de recevoir un message « intelligent ». Depuis cette première expérience il y a eu 35 autres tentatives, mettant en œuvre une

Des auteurs de science-fiction, *comme Pierre Boulle dans* La planète des singes, *ont imaginé des voyages à la vitesse de la lumière.*

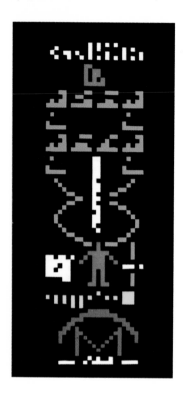

dizaine d'antennes différentes, non seulement aux Etats-Unis, mais également en Union soviétique, au Canada et en France.

Après 5 000 heures d'écoute, en direction de 600 étoiles différentes, aucun message artificiel n'a encore été reçu. Mais ce type de recherche se poursuit.

Signalons que les terriens ont émis eux-mêmes un message de 3 minutes, expédié par les Américains en direction de l'amas globulaire d'Hercule, grâce au radiotélescope d'Arecibo, installé dans l'île de Porto-Rico. Mais comme cet amas stellaire se situe à quelque 25 000 années-lumière de distance et que les ondes radio voyagent à la même vitesse que la lumière, nous ne recevrons un éventuel accusé de réception que dans 50 000 ans ! Ce simple chiffre traduit bien notre isolement dans le vaste Univers.

Des messages ont été envoyés dans l'espace : *en 1974 (ci-dessus) un message radio qui, une fois décodé, donne cette représentation dans laquelle on distingue la silhouette stylisée d'un être humain ; et en 1973 cette plaque fixée sur la sonde spatiale Pioneer 10, où l'on voit un couple de terriens, ainsi qu'un schéma du système solaire. Pioneer 10 a quitté le système solaire en juin 1983.*

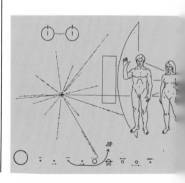

Index

Les chiffres en italique renvoient aux illustrations.

Table des matières

Sources iconographiques

J.-P. Allard : 20-21, 60-61. Altintas : 65. P. Avérous : 53B. C. Beylier : 10, 11. Gamma : 3. M. Gilles :
7, 19D, 47, 51, 68-69, Giraudon/Garanger : 71. D. Grant : 4, 15. Hale Observatories : 29H. Hermange :
58-59. P. Joubert : La Vie Privée des Hommes « Au temps des Mayas, des Aztèques et des Incas »,
20. Kubosa/Pacific Press Service : 10-11. Coll. Marigny/Paramount : 75. C. & D. Millet : 45 (extrait de
La Vie Privée des Hommes « Au temps des Mousquetaires »). NASA : 2, 24, 25B, 39B, 68. Pour la
Science/Observatoire National de Kilt Peak : 56. Rapho/Everts : 6. Sté Astronomique de Suisse : 55.
Sygma/Tiziou, Nasa : 31. Tosun Sedat : 63. USIS : 9B, 23, 25H, 40. Dessin extrait de TOUT L'UNIVERS :
Diagram Visual Information Ltd, Londres : 33.

Imprimé en France par Hérissey, Evreux
Dépôt légal n" 8403-5-1984
N" d'imprimeur : 34302
29.64.0323.01
29/0323/5
84-V

ISBN 2.01.009357.7